Un quêteux chez grand-papa

Une histoire

Francine

et illustr

Marc Mo

À Paule et Andrée-A
Franci

cheva
masqu

Catalogage avant publication de Bibliothèque et Archives nationales du Québec et Bibliothèque et Archives Canada

Labrie, Francine

Un quêteux chez grand-papa

(Cheval masqué. Au pas)
Pour enfants de 6 à 10 ans.

ISBN 978-2-89579-387-8

I. Mongeau, Marc. II. Titre. III. Collection: Cheval masqué. Au pas.

PS8623.A332Q47 2011   jC843'.6   C2011-940825-2
PS9623.A332Q47 2011

Dépôt légal – Bibliothèque et Archives nationales du Québec, 2011
Bibliothèque et Archives Canada, 2011

Direction: Andrée-Anne Gratton
Révision: Sophie Sainte-Marie
Graphisme: Janou-Ève LeGuerrier

Nous reconnaissons l'aide financière du gouvernement du Canada
par l'entremise du Fonds du livre du Canada (FLC) pour des activités
de développement de notre entreprise.

Conseil des Arts   Canada Council
du Canada   for the Arts

Bayard Canada Livres inc. remercie le Conseil des Arts du Canada
du soutien accordé à son programme d'édition dans le cadre du Programme
des subventions globales aux éditeurs.

Cet ouvrage a été publié avec le soutien de la SODEC. Gouvernement du Québec –
Programme de crédit d'impôt pour l'édition de livres – Gestion SODEC.

Bayard Canada Livres
4475, rue Frontenac, Montréal (Québec) H2H 2S2
Téléphone: 514 844-2111 ou 1 866 844-2111
Télécopieur: 514 278-0072
edition@bayardcanada.com
www.bayardlivres.ca

Imprimé au Canada

07318 1478

Quand j'étais jeune, j'aimais beaucoup aller chez mes grands-parents. Ils possédaient une ferme à Saint-Ours. C'était très différent de la ville où j'habitais.

J'y trouvais des animaux, des champs et une maison remplie de secrets. Mes grands-parents avaient toujours du temps pour moi. Ça les rendait heureux de me voir.

Un après-midi, mon père m'avait emmené chez eux. Nous allions chercher des pots de ketchup que ma grand-mère voulait nous donner. Nous nous préparions à repartir quand elle a proposé à mon père :

— Laisse-nous donc Charles, on ira le reconduire demain.

J'ai regardé mon père avec des yeux suppliants. J'aurais voulu l'hypnotiser :

— Dis oui, dis oui !

Mon père a souri :

— Vas-tu être sage ?

Ma grand-mère a répondu à ma place :

— Il est toujours sage !

UN CHEF-D'OEUVRE

Après le départ de mon père, grand-papa m'a dit :

— J'ai quelque chose à te montrer.

Curieux, je l'ai suivi jusqu'au buffet. Une nouvelle pipe trônait sur un support.

Elle était en bois de cerisier. Pendant des soirées entières, il l'avait sculptée, puis polie avec patience. Ma grand-mère lui répétait souvent :

— Arrête de frotter cette pipe, il n'en restera plus !

Il l'avait enfin terminée !

J'ai demandé :

— Est-ce que je peux y toucher ?

Grand-papa me l'a tendue. Je l'ai prise avec précaution. Je la trouvais magnifique. Comme elle était neuve, elle sentait encore le bois au lieu de sentir la pipe. On y voyait les veines du cerisier.

Je me suis exclamé :

— Elle est toute douce !

Grand-maman a ajouté, l'air co-quin :

— Comme les fesses d'un petit bébé !

UN VISITEUR INQUIÉTANT

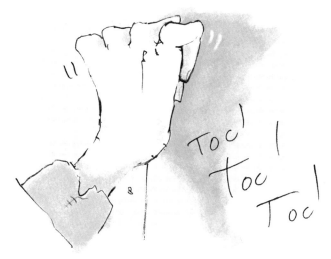

Juste à ce moment-là, quelqu'un a frappé à la porte. J'ai remis la pipe à sa place et je me suis em-pressé d'aller ouvrir.

J'ai regretté de m'être précipité, car c'était le quêteux Robidoux !

Je ne l'aurais avoué à personne, mais j'avais peur de lui !

On le voyait régulièrement au village. Grand, maigre, il portait toujours un vieux manteau d'hiver, même en été. Il ne se peignait presque jamais et il avait une longue barbe grise.

Je trouvais qu'il avait l'air du diable.

Il sentait le diable en plus! Il ne devait pas se laver souvent.

Il n'avait pas de maison à lui. Il visitait les gens à tour de rôle.

Grand-papa Ti-Bé s'est levé pour l'accueillir. Il l'a aidé à enlever son paletot*. Il l'a invité à s'asseoir dans sa chaise berçante et lui a offert un « petit remontant** ».

* Manteau.
** Verre d'alcool.

Ma grand-mère a mis un couvert de plus. Elle a dit avec autorité :

— Vous allez rester à souper, Monsieur Robidoux !

— Je ne voudrais pas vous déranger, ma bonne dame ! a répondu le quêteux. Je faisais juste passer.

Monsieur Robidoux voulait qu'on le supplie de rester. Pourtant, il n'arrêtait pas de lorgner* le poêle à bois. Il restait de la tarte, sur la tablette au-dessus, et le rôti de porc de ma grand-mère se faisait sentir.

Le quêteux n'avait pas l'air pressé de partir!

* Regarder.

4

UNE SOIRÉE PASSIONNANTE

Pendant le repas, le quêteux nous a donné les dernières nouvelles des environs. Après le souper, il a sorti son harmonica et il a joué quelques morceaux.

Puis il nous a conté de bonnes histoires. Il faisait des compliments à ma grand-mère. Il disait qu'elle était une « créature dépareillée* ».

Et il admirait sans cesse la nouvelle pipe de mon grand-père.

* Personne exceptionnelle.

Je ne savais pas trop quoi penser. Mes grands-parents agissaient avec le quêteux comme si c'était un personnage important. Je continuais à le trouver bizarre, et je me tenais loin à cause de son odeur.

D'un autre côté, il racontait des choses intéressantes. La soirée a passé très vite.

J'étais content parce que ma grand-mère avait oublié de m'envoyer au lit. Mais vers dix heures, elle s'en est rendu compte :

— Vite, Charles, monte te coucher.

Elle a ajouté, avec la même autorité :

— Monsieur Robidoux, vous allez dormir ici, je vous prépare votre lit.

Le quêteux s'est fait prier encore une fois, puis il a fini par accepter.

Dans l'entrée de la maison, il y avait le banc du quêteux. Ça ressemblait à un coffre, mais sous le couvercle se cachait une paillasse*.

* Matelas de paille.

Ma grand-mère m'avait déjà expliqué que, chaque fois qu'un quêteux l'utilisait, on brûlait ensuite la paillasse. C'était pour se débarrasser des poux et des punaises que le quêteux y avait probablement laissés.

Ce soir-là, je me suis couché avec beaucoup de questions en tête. J'avais hâte au lendemain pour pouvoir les poser à mon grand-père. Pourquoi le quêteux n'avait-il pas de maison à lui ? Comment ma grand-mère, si propre, endurait-elle un individu aussi sale dans sa maison si propre ?

Le lendemain matin, je me suis levé très tôt. Le quêteux était déjà parti.

Je me suis assis à la table pour déjeuner.

J'ai tout de suite remarqué que la nouvelle pipe n'était plus sur le buffet. Mon grand-père revenait justement de l'étable.

— Grand-papa, ta belle pipe a disparu !

J'ai vite conclu :

— Ce doit être le quêteux qui l'a volée !

Grand-papa m'a dit :

— Viens ici, mon cher détective, je vais t'expliquer quelque chose.

Il a posé sa main sur mon épaule et il m'a confié :

— Le quêteux n'a pas volé ma pipe, je la lui ai donnée.

Je n'en croyais pas mes oreilles.
Je me suis exclamé :

— Elle était si belle ! Pourquoi la
lui avoir donnée, à lui ? Il est tout
sale, il pue...

— Parce que lui aussi a le droit
d'avoir quelque chose de beau, a
répondu mon grand-père.

Je comprenais
de moins en moins.
J'ai insisté :
— Oui, mais tu aurais
pu la vendre !
Il m'a répondu :
— Quand on fabrique un objet
et qu'on y met tout son cœur, ça
n'a pas de prix.

Je ne voulais pas en démordre :

— Oui, mais pourquoi tu ne l'as pas gardée pour toi ?

— Qu'est-ce que j'aurais fait de mon temps, l'hiver prochain ? Je vais en fabriquer une autre…

— Encore plus belle ?

— Je vais essayer, mon Charlot !

Puis il a ajouté :

— Le quêteux Robidoux n'a pas eu de chance dans la vie, mais il est important pour nous. Il nous permet de partager. Ça nous rend un grand service. On se sent plus riche quand on partage.

Je n'ai jamais oublié cette phrase de mon grand-père. J'y pense souvent chaque fois que je donne de l'argent à un sans-abri.

Mon grand-papa Ti-Bé, il avait un grand cœur !

FIN

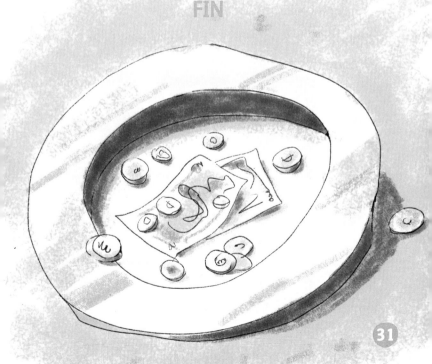

Voici les livres AU PAS de la collection :

Lesquels as-tu lus ? ✔